第10巻

RG VEDA
聖伝

双城炎雷篇 II

STORY BY 大川七瀬 NANASE OHKAWA

COMIC BY もこなあぱぱ MOKONA APAPA

PLANNING CLAMP

新書館

Serial Publication——WINGS

Publication——WINGS COMICS

六星流れ落つる　そは天に背く闇星《やみぼし》なり
紡がれし運命のさきがけに　汝《なんじ》　みずから育《はぐく》むべし
絶えたる血族の指し示すままに
汝　赤児とともに　発ち行かん
善悪定まらずともその赤児　天界の運命の輪を回す
六星集うは天の耿極なり
されど闇の御許《みもと》　舞い降りたる者あり
掌中《しょうちゅう》に星の軌道を治《おさ》め　闇星《あんせい》　天星《てんせい》ともに操る
その者　我が『星宿《せいしゅく》』にも　見定めるはかなわず
汝の育みし紅蓮《ぐれん》の炎
すべての邪悪を焼きつくし
総《そう》じて六星あらゆる他を圧し　制するはあたわず
そして
汝ら　天を滅ぼす『破壊』と成らん
PLANNING CLAMP

RG VEDA
聖伝
双城炎雷篇II
5

H O S H I G A N A G A R E R U

汝ら、天を滅ぼす『破』と成らん。

CLAMP MEMBERS

Main

STORY
大川七瀬 NANASE OHKAWA

COMIC
もこなあぱぱ MOKONA APAPA

Book Designer
大川七瀬

Director
もこなあぱぱ

Art Assistants
猫井みっく MICK NEKOI
五十嵐さつき SATSUKI IGARASHI

CLAMP MEMBERS

PLANNING & PRESENTED by
CLAMP

迦《か》楼《る》羅《ら》……っ!!

私の……

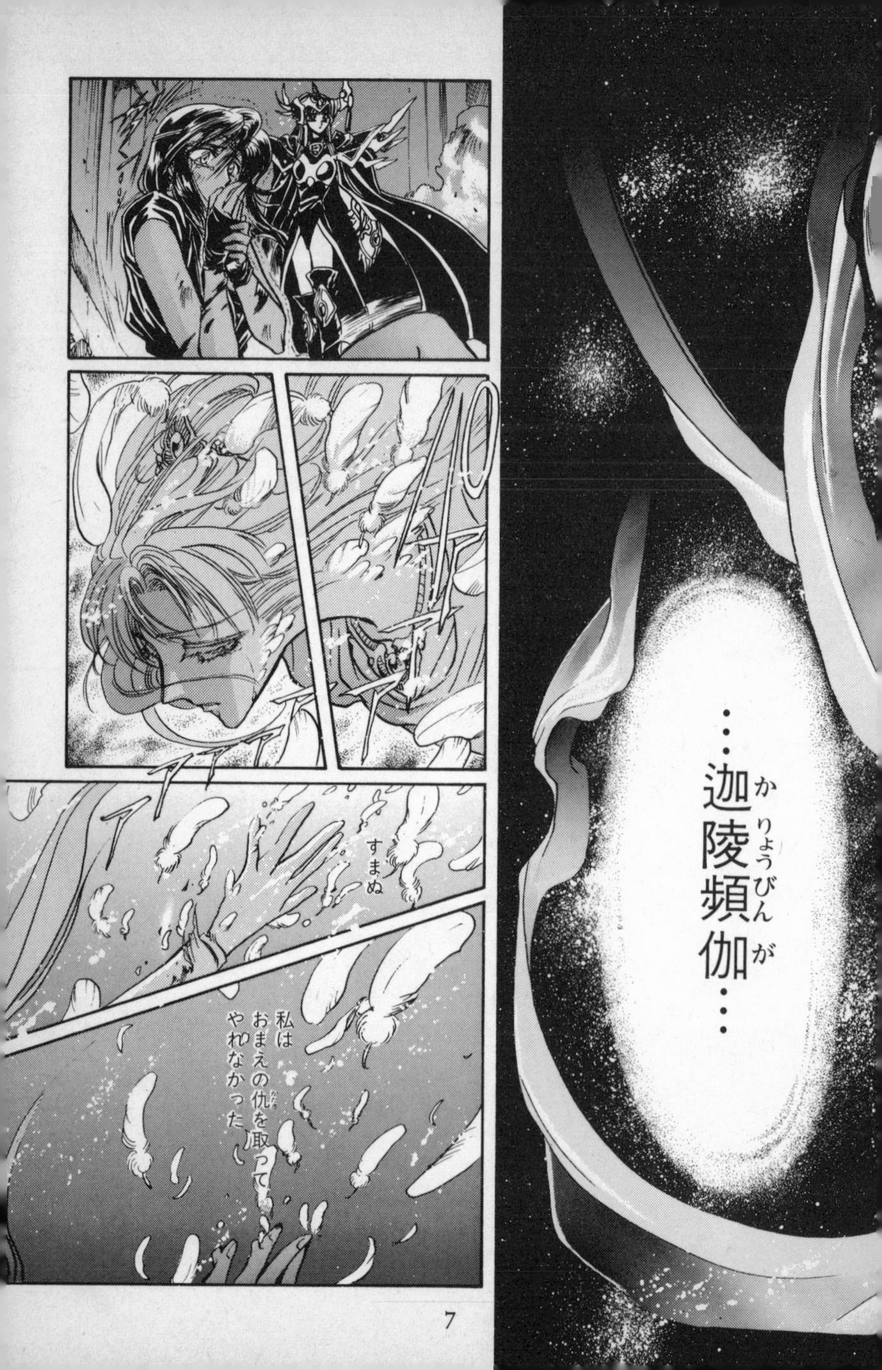
……迦《か》陵《りょう》頻《びん》伽《が》……
すまぬ
私は
おまえの仇を取って
やれなかった

だが おまえとの
最後の約束だけは
守ったぞ
お姉様
最後まで
自分の
心のままに
生きた
どうか
『自由』に……
……自由に……

このまま会いに行けば
おまえは私を叱《しか》るだろうか……

愛しい妹よ…
もう一度歌を聞かせてくれ……

迦楼羅王……
迦楼羅王《かるらおう》――!!
う……
う……

…っか……
…ばっかやろう…っ
ばかやろうが……

星よ
その巡《めぐ》り行く末《すえ》を
我《われ》に示せ
違《たが》えることなき
運命《さだめ》の輪
幾世の星見《ほしみ》が予言せし
その結末の成就《じょうじゅ》
我《われ》
星見《ほしみ》の血を継《つ》ぐ者として
見届《みとど》けん

星の運命《さだめ》は ただ一つ
語る言葉も ただ一つ
何人《なんびと》たりとも逆《さか》らえぬ その呪縛《じゅばく》を打ち砕《くだ》く者 受け入れる者
星の軌道《きどう》のその 行く末《すえ》を……
迦楼羅王《かるらおう》……
わかったでしょう 貴方《あなた》では帝釈天《たいしゃくてん》を 討《う》つことは出来《でき》ない
貴方《あなた》は優しいけれど 意志の強い人だから 帝釈天《たいしゃくてん》を倒すと決めたら 何もせずにあきらめては くれないでしょう?

だから
行かせたの
放したくなかった
けれど
それが貴方《あなた》の
選んだ道なら……
夜叉王《やしゃおう》は
強い
夜叉王《やしゃおう》が
旅に出たことを
聞いて
打倒《だとう》 帝釈天《たいしゃくてん》を
願っていた貴方《あなた》を
吉祥天様《きっしょうてんさま》に預《あず》けたのは
あの人といれば
貴方《あなた》が
簡単に死ぬ事は
ないだろうと
思ったから
貴方《あなた》に
死んで欲しく
ないから……

わが君《きみ》……
旅の途中で貴方《あなた》の気が変わったらと
ずっと願ってた…
やはり運命は変わらない
でも無駄だったようですわね
天帝《てんてい》に弓引《ゆみひ》く者の結末は
死!

『六星《ろくせい》』の力とはこの程度か！

貴方《あなた》の相手は
私だと
言ったでしょう

毘沙門天《びしゃもんてん》……!
ミシュヴゥウゥ!!
パラ
……吉祥天《きっしょうてん》……
吉祥天様《きっしょうてんさま》……?

ーあおおお
夜魔《やま》…
予言《よげん》の成就《じょうじゅ》は予《よ》が阻《はば》む……
天狼剣《てんろうけん》!!

…予《よ》には…
命にかえても守らねばならぬ
約束があるのだ…

阿修羅《あしゅら》
夜叉王《やしゃおう》
運命の輪は　回り続けている……

おまえは予《よ》に勝てない
武神将《ぶしんしょう》ごときに
どけ！
四天王《してんのう》が負けるわけにはいきません
しかも
自分の一族も守れなかった貴方《あなた》に天帝《てんてい》が倒《たお》せるはずないでしょう

ボタリボタ
破壊《はかい》と
殺戮《さつりく》
くくっ
……一切《いっさい》の死……

我《わ》が望みは
永遠の虚無《きょむ》と静寂《せいじゃく》

血と…炎と…沈黙
我《わ》が半身《はんしん》 真の復活《ふっかつ》をとげし今 阿修羅城《あしゅらじょう》への門は開く
水面《みなも》に映《うつ》る泡沫《うたかた》の城よ 汝《なんじ》が主《あるじ》を招《まね》き入れよ
我《われ》は闘神《とうしん》 阿修羅王《あしゅらおう》 星宿《せいしゅく》に約束された最後の王 予言《よげん》の成就者《じょうじゅしゃ》にして破壊者《はかいしゃ》

我《われ》 天《てん》を滅《ほろ》ぼす『破《は》』とならん！
夜摩刀《やまとう》が!!

夜摩刀《やまとう》が
共鳴《きょうめい》している!!
夜摩刀《やまとう》と修羅刀《しゅらとう》は
常《つね》に引かれ合っている
修羅刀《しゅらとう》に何か異変が起こったのか!?
阿修羅《あしゅら》を探しに行った龍王《りゅうおう》は何者かによって殺されてしまった
我々や四天王《してんのう》以外で龍王《りゅうおう》を倒せるほどの者がこの城にいるのか!?
おまえは無事なのか? 阿修羅《あしゅら》!!
一体 今どこにいるんだ!?

闘いの最中《さなか》に
考えごととは
余裕《よゆう》ですね
隙《すき》だらけですよ
夜叉王《やしゃおう》！
夜叉王《やしゃおう》！
毘沙門天《びしゃもんてん》！
吉祥天《きっしょうてん》様《さま》
ここは危《あぶ》のう
ございます
外へ!!
お早く〜！
吉祥天《きっしょうてん》様《さま》！

錫杖《しゃくじょう》が…!?
あ…あれは…
『星見《ほしみ》』の錫杖《しゃくじょう》……!?
黒い翼
額《ひたい》の瞳は『堕天《だてん》の刻印《しるし》』

堕天《だてん》が何故《なぜ》
『星見《ほしみ》』の錫杖《しゃくじょう》を
振《ふ》るえる!?
このままここで
やられる訳には
いかん!!
毘沙門天《びしゃもんてん》に
滅《ほろ》ぼされた
我《わ》が一族《いちぞく》の仇《かたき》!

今まで
帝釈天《たいしゃくてん》のために死んで行った
多くの者たちのために
志《こころざし》なかばで死んだ
迦楼羅《かるら》王のために
龍王《りゅうおう》のために
阿修羅《あしゅら》を
守るために

帝釈天《たいしゃくてん》を倒す!!

夜《や》魔《ま》天《てん》狼《ろう》剣《けん》!!

きゃあああ
吉祥天《きっしょうてん》様《さま》！
!!!
きゃああああ！
毘沙門天《びしゃもんてん》！
毘沙門天《びしゃもんてん》!!

死んではいや……
お願いです……
目を……
目を開けて！
吉祥天《きっしょうてん》……
貴方《あなた》が私のために涙を流すことはない……
貴方《あなた》の涙など見たくはないのに……
いつも私は貴方《あなた》を苦しめ……泣かせている……
だから私は罰《ばつ》を受けたのです………ただそれだけのこ…と……

貴方《あなた》は
私の花……
決して
手の届かぬ
花…だった……
どうして…も
欲し…くて
無理矢理
手折《たお》って
傷…つけ……た
ザッ
ただ……そばにいて
くれる……
それだ…けが……
望み…だ…た
か……
ら……

お願いです!!
目を開《あ》けてぇぇ!!
お願い！
私を一人にしないで！

毘《び》沙《しゃ》門《もん》天《てん》!!

予《よ》と毘沙門天《びしゃもんてん》との盟約《めいやく》
…吉祥天《きっしょうてん》…
予《よ》が三百年前 先《さき》の天帝《てんてい》に 謀反《むほん》を決めた時 毘沙門天《びしゃもんてん》は予《よ》に こう言った
カッ
カッ

参謀《さんぼう》として
予《よ》に仕《つか》え
謀反《むほん》に加担《かたん》し
共に天に弓引《ゆみひ》く戦《いくさ》へ
身を投じる
見返《みかえ》りとして
勝利の暁《あかつき》には
吉祥天《きっしょうてん》を妻に欲しいと
え!?
力ずくで
手に入れるしか
きっと
私の想《おも》いは
叶《かな》いません

それでは一生吉祥天《きっしょうてん》の心は手に入らない──
それでも……
それでもいいのです
そばにいてくれるだけでいい……
それ以上は何も望みません

毘沙門天《びしゃもんてん》は予《よ》の片腕《かたうで》となる
引き替えに予《よ》は新《あら》たに統治《とうち》する天界《てんかい》で先帝《せんてい》の娘である吉祥天《きっしょうてん》の命を保証《ほしょう》する
それが予《よ》と毘沙門天《びしゃもんてん》との盟約《めいやく》
だからおまえは我《わ》が世《よ》で生きていなければ困る存在だったのだ……毘沙門天《びしゃもんてん》のためにな
しかし毘沙門天《びしゃもんてん》が死んだ今

その必要もない
吉祥天《きっしょうてん》！

愛していたのに……
私も……
ずっとずっと……
貴方《あなた》が好きだっ…たの…に……

愛し合っていても
心が通《かよ》わぬこともある
貴方《あなた》に天帝《てんてい》を名乗《なの》る資格などない！
人の命をもてあそぶ
貴方《あなた》などに…！
おまえの父が
何をしたかも知らぬ
幸《しあわ》せな娘よ

おまえの父は平穏《へいおん》な御世《みよ》を紡《つむ》ぐ
天地開闢以来《てんちかいびゃくいらい》最《もっと》も優《すぐ》れた天帝《てんてい》として人々に慕《した》われた
な…にを……
だが
その裏で堕天《だてん》にも劣《おと》る行《おこな》いをしていたのだ

この男は…
あの お優《やさ》しい 父上に
おかわいそうな 父上……
何を言って いるのか…
なんの非《ひ》が あったというのか
さぞ 御無念《ごむねん》で あったろうに……
その父上が 堕天《だてん》にも劣《おと》る 行《おこな》いを……？
聖《せい》なる天帝《てんてい》が 最《もっと》も罪深き罪を 犯《おか》したと……？

罪深きは
そなたです
帝釈天《たいしゃくてん》……!!
そのような
嘘《うそ》…を……
よくも……!!
信じぬか……
まあ 良《よ》い

吉祥天《きっしょうてん》様《さま》！
吉祥天《きっしょうてん》様《さま》！
ピチャ……

愛した女の血潮《ちしお》は
暖《あたた》かいか？
毘沙門天《びしゃもんてん》よ……

バサ…

あ゛あ゛あ゛

吉祥天《きっしょうてん》が……
今……死んだ……

…愛される運命に生まれた娘が……

おまえは…おまえだけは絶対に許さん!!

冥王破妖斬《めいおうはようざん》!!

雷《いかずち》よ 下《くだ》れ!
雷公降臨《らいこうこうりん》!!

危《あぶ》ない！
夜叉王《やしゃおう》!!
夜叉王《やしゃおう》！
増長天《ぞうちょうてん》!!

俺ぁ武神《ぶしん》としてあんたの強さに惚《ほ》れ込んで今日まであんたに仕《つか》えて来た
だが
今
俺ぁあんたがわからなくなっちまった
盟友《めいゆう》である毘沙門天《びしゃもんてん》が死に
先帝《せんてい》の愛娘《まなむすめ》である その妻 吉祥天《きっしょうてん》を手に掛《か》け！
そうしてまでもこの天界《てんかい》に君臨《くんりん》したいのか⁉
天界などどうでもいい

天界などどうでもいい!?
予《よ》は昔 交《かわ》した『約束』のためだけに生きてきた

その『約束』を守るためなら
幾千《いくせん》の涙《なみだ》を見ようと
幾万《いくまん》の骸《むくろ》の山を越《こ》えようと
構《かま》わん

あははははは！
健気《けなげ》だな
帝釈天《たいしゃくてん》
この声
ま…さか……
おまえの
一命《いちめい》を懸《か》けてまでも
守ろうとする
その『約束』とやら
一体《いったい》誰と
交《かわ》した
ものだ？

まさか!?
『禁《きん》を犯《おか》し
我《わ》が眠《ねむ》りを乱《みだ》す者』
『深き眠りの淵《ふち》より
我《われ》を呼び醒《さ》ます者よ』
『愚《おろ》かな
勇気ある者よ』
『おまえのお陰《かげ》で
この世は
炎獄《えんごく》となろう』
『我が名は……』

阿《あ》修《しゅ》…羅《ら》……?

阿修羅《あしゅら》なのか…？

そう
私が阿修羅《あしゅら》
これが私の真《しん》の姿《すがた》
『封印《ふういん》』が解《と》けた姿だ
『封印』!?

剣のふたつの『封印』
二人の神女《みこ》が守る『封印の鍵《かぎ》』
本来あるべきものがあるべき場所へ戻った
修羅刀《しゅらとう》の最後の『封印』は解かれたのだ
私は呪縛《じゅばく》から放たれた

阿修羅《あしゅら》……？
御子《みこ》……

『血の封印』は
星の軌道《きどう》を変えるほどの力は持ち合わせていなかったようだ

運命の輪は
回る
終末へ向けて

阿修羅《あしゅら》……！
龍王《りゅうおう》がおまえを探しに行ったまま
死んだ
誰のしわざだ!?
そんなに知りたいのなら教えてやる
龍王《りゅうおう》を殺したのは……

…私……

我が母
神女《みこ》・舎脂《しゃし》を
殺し
最後の『封印』を
解いた
修羅刀《しゅらとう》は
目覚め
六星《ろくせい》流れ落つる
そは天に背《そむ》く闇星《やみぼし》なり
予言《よげん》は成就《じょうじゅ》される

ば…かな
阿修羅《あしゅら》が龍王《りゅうおう》を殺す…など
九曜《くよう》の予言では六星《ろくせい》は天を滅《ほろ》ぼせるものであるはず！
紡《つむ》がれし運命のさきがけに
汝《なんじ》みずから育《はぐく》むべし
絶《た》えたる血族《けつぞく》の指《さ》し示《しめ》すままに
汝赤児《なんじあかご》とともに発《た》ち行《ゆ》かん
その六星《ろくせい》の一人であるおまえが…っ！
何故《なぜ》同じ六星《ろくせい》の龍王《りゅうおう》を殺すんだ!!

善悪定まらずともその赤児《あかご》
天界《てんかい》の運命の輪を回す
六星集《ろくせいつど》うは天の取極《しゅきょく》なり
そう
六星《ろくせい》は天をも滅ぼす
この天界を!!

『我《われ》にとっての邪悪』なものたちをな！
そして
紅蓮《ぐれん》の炎であらゆる邪悪《じゃあく》を焼きつくすのだ

我《わ》が望みは一切《いっさい》の破壊《はかい》!
この天界を血と炎で赤く染《そ》め上げることだ!!
善見城《ぜんみじょう》が……!

されど闇の御許《みもと》
舞《ま》い降《お》りたる者あり
掌中《しょうちゅう》に星の軌道《きどう》を治《おさ》め
闇星・天星ともに操《あやつ》る
その者我《わ》が星宿《せいしゅく》にも
見定《みさだ》めるはかなわず

汝《なんじ》の育《はぐく》みし紅蓮《ぐれん》の炎
すべての邪悪《じゃあく》を焼《や》きつくし
総《そう》じて六星《ろくせい》
あらゆる他を圧し
制するはあたわず

そして

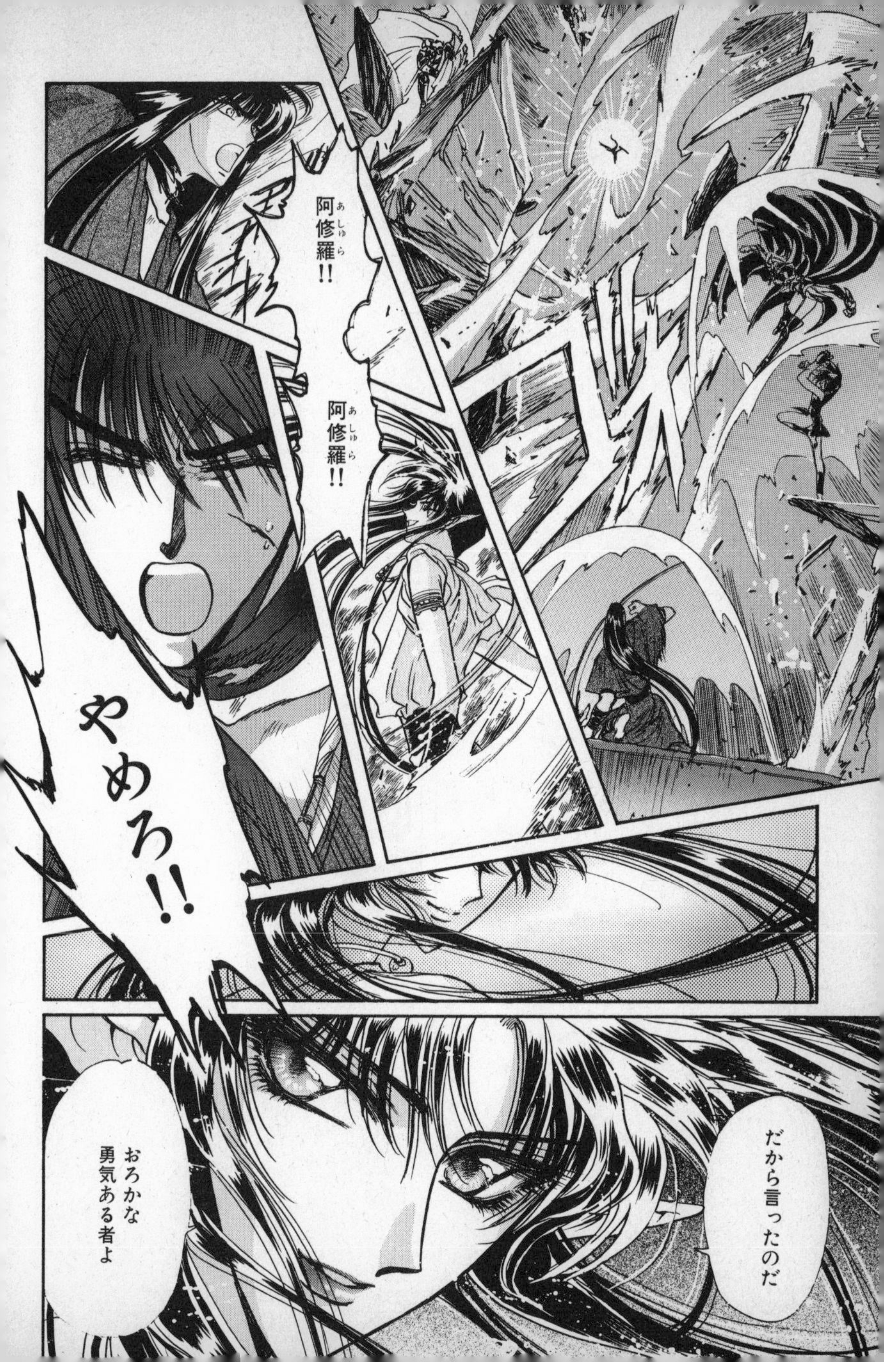
阿修羅《あしゅら》!!
阿修羅《あしゅら》!!
やめろ!!
だから言ったのだ
おろかな
勇気ある者よ

『我が眠りを破るな』と
身のほどもわきまえず 禁を犯《おか》した代価《だいか》 おまえ一人の身には 負《お》いきれぬと
ちゃんと教えてやったのに それでも私に触れたのは おまえの罪
阿修羅《あしゅら》!!

『約束』を
違《たが》える訳には
いかん……

…『約束』…
その『約束』一体誰と交《か》わしたものだ？

あはははは！
戦いを
楽しんでいる
心底《しんそこ》破壊を
楽しんでいる

あーははは!
あれが本当に阿修羅《あしゅら》なのか!?

ザァァァァァ
これが…
そなたの
強さか……？
ニッ
ボボ
ボボボボ
そのとおり

阿修羅族《あしゅらぞく》は天界最強の闘神《とうしん》
血と炎と殺戮《さつりく》の神
すべてを破壊しつくすためにこの世に生まれ落ちた者

それが…
阿修羅王《あしゅらおう》が恐《おそ》れていた
『真の阿修羅《あしゅら》』！

夜摩刀《やまとう》が…！
阿修羅《あしゅら》!?

阿修羅《あしゅら》!?

どうしたんだ!
阿修羅《あしゅら》!!
……ッウ……
ウウ……ッ
阿修羅《あしゅら》!!

私の邪魔《じゃま》をする者…
殺してやる!!
夜叉王《やしゃおう》!!

いつか来る
未来のために
定《さだ》められた
運命にあらがうために
一振《ひとふ》りの
剣を作った
その剣に
『阿修羅《あしゅら》』を
導《みちび》きうる
能力《ちから》を
与え
いずれ夜叉王《やしゃおう》の手に
渡るように
夜叉族《やしゃぞく》にあずけたけれど
『阿修羅《あしゅら》』は
止められないのか

天を滅《ほろ》ぼす『阿修羅《あしゅら》』の運命は変わらないのか

あの二人が共《とも》に過《す》ごした時間も
『阿修羅《あしゅら》』の前ではなんの意味もないのか
どんなことをしても『阿修羅《あしゅら》』の運命ははばめないのか
定められた運命は絶対なのか『星宿《せいしゅく》』とは変えることの出来ないものなのか

『運命《うんめい》』を
変えるほどの『絆《きずな》』を
夜叉王《やしゃおう》と阿修羅《あしゅら》に求めたのは
やはり無駄《むだ》だったのか

阿修羅《あしゅら》!

目を覚《さ》ませ 阿《あ》修《しゅ》羅《ら》!!

修《しゅ》羅《ら》刀《とう》！

天界《てんかい》最強《さいきょう》と謳《うた》われた
北の武神将《ぶしんしょう》・夜叉王《やしゃおう》
修羅刀《しゅらとう》をもって
戦うがふさわしい

あははは
阿修羅《あしゅら》!!

おまえの阿修羅《あしゅら》はもうどこにもいない

私のここで死んだ
阿修羅《あしゅら》!!!

情《なさけ》ないな
天界《てんかい》最強《さいきょう》の武神将《ぶしんしょう》の技《わざ》とは
この程度《ていど》のものか
これでは私を止められぬぞ
己《おの》が身《み》に封印《ふういん》を施《ほどこ》し天帝の支配を受けて来た代々の阿修羅王《あしゅらおう》とは違う
私はなんの支配も封印も受けない真《しん》の『阿修羅《あしゅら》』

私の目覚《めざ》めと共に
生きとし生ける者は
すべて死するが運命《さだめ》

夜叉王《やしゃおう》――!!!

この光は……
阿修羅《あしゅら》!?
阿修羅城《あしゅらじょう》が…
主《あるじ》を迎え入れたか
阿修羅城《あしゅらじょう》!?
阿修羅城《あしゅらじょう》は
復活《ふっかつ》した

私は『約束』を守らねばならない
ここは私に！
蘇摩《そうま》!!
御子《みこ》を追ってください！
あの方が阿修羅《あしゅら》の御子《みこ》ならば…
どうか！

どうか……
お止め申し上げてください……
殺戮《さつりく》や破壊《はかい》など
あのお優《やさ》しい御子《みこ》は
決して望んでおられません
御子《みこ》をお願いします

ギッ

我《わ》が名は蘇摩《そうま》！
おまえが滅《ほろ》ぼした薬師《やくし》・蘇摩《そうま》一族《いちぞく》唯一《ゆいいつ》の生き残り！
無念のうちに死んでいった我が父母《ちちはは》我が一族のために！

おまえを倒す！
双《そう》月《げつ》乱《らん》舞《ぶ》！

…蘇《そう》摩《ま》…

何者…なのです…？
私は
『星見《ほしみ》』の血と名を受《う》け継《つ》ぐ
正統《せいとう》なる後継者《こうけいしゃ》

その紫暗《しあん》の瞳は魔族《まぞく》の証拠
それにその額《ひたい》の天眼《てんがん》は…!
魔族にも劣《おと》る行いをした者の身に報《むく》う
『堕天《だてん》の証《しるし》』!
そのような者が星見《ほしみ》たりえるはずがない……!!
水鏡《みずかがみ》に過去と未来を映《うつ》し見る者よ
私の過去を垣間見《かいまみ》ればすべて得心《とくしん》がいくはず

まさか…！
そんな…！

…貴方《あなた》は…
先《さき》の天帝《てんてい》の!?

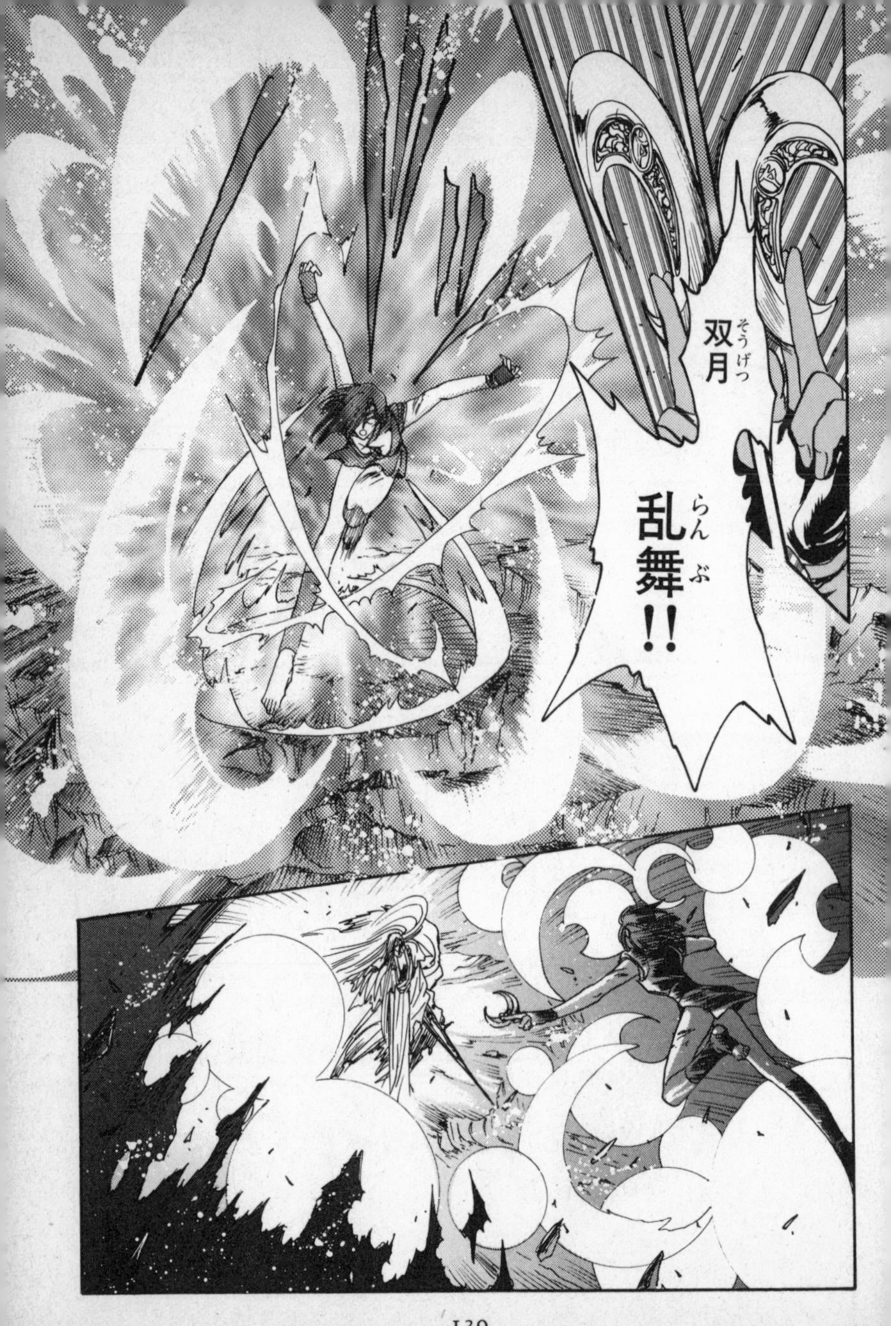

双月
そうげつ

乱舞
らんぶ
!!

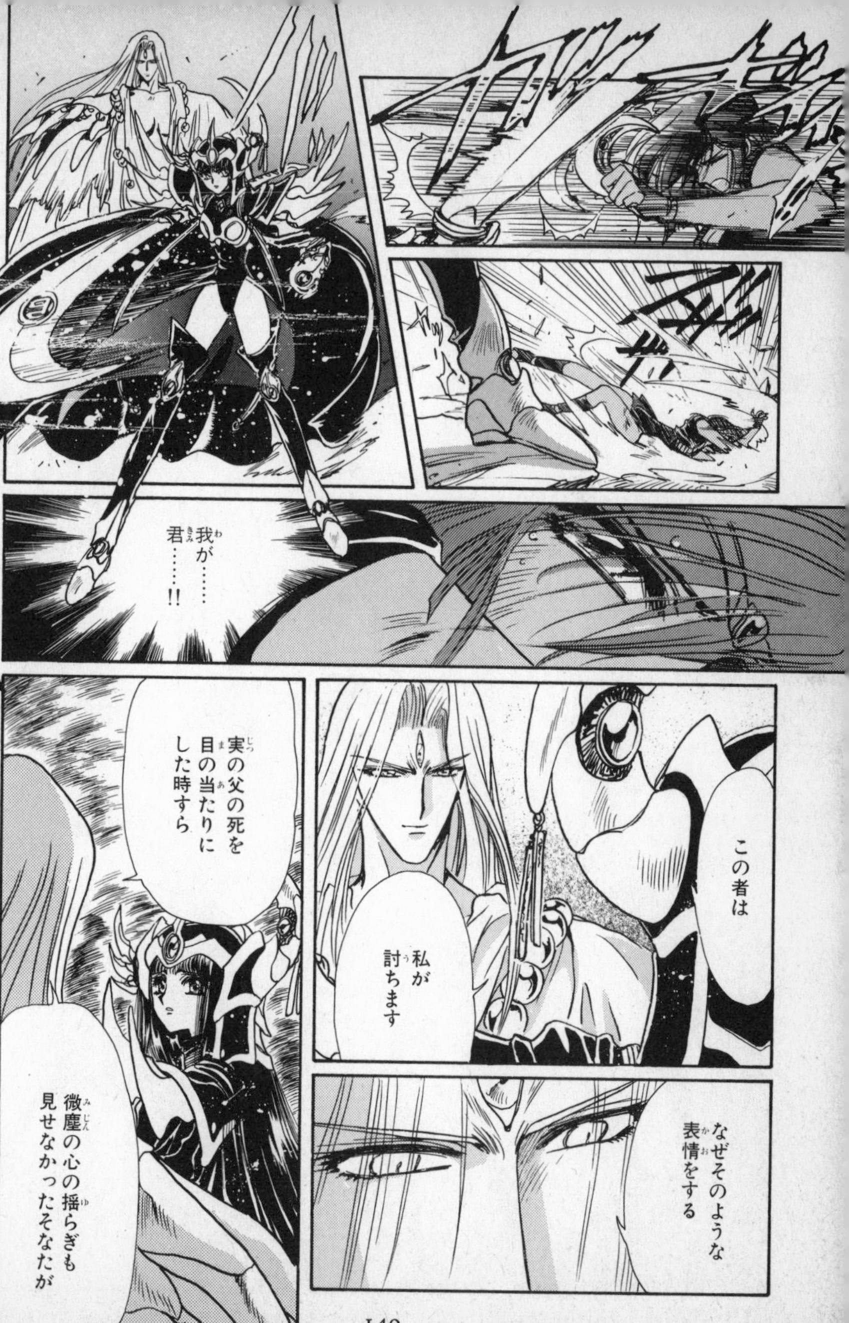
我《わ》が……君《きみ》……!!
この者は
私が討《う》ちます
実《じつ》の父の死を目《ま》の当《あ》たりにした時すら
微塵《みじん》の心の揺《ゆ》らぎも見せなかったそなたが
なぜそのような表情《かお》をする

蘇摩《そうま》は……
私が唯一《ゆいいつ》
愛した者ですから……
愛したもの……

……すげえ……
いや強い
あの蘇摩族《そうまぞく》の
生き残りとか
いう娘も
決して弱《よわ》くはない
だが
相手が悪い
乾闥婆王《けんだっぱおう》は
強《つよ》すぎる!!
我《わ》が…君《きみ》……

パタタ
貴方《あなた》は帝釈天《たいしゃくてん》には勝てない…
だから…
せめて
私が殺してあげる

けん……
だっぱ…お……う
ごめん…な…さい
私には………
己《おのれ》で決めたことを
覆《くつがえ》すことは……
決して……
できな…い
私は強い者
しか
認めない
この男は
天界《てんかい》で
最も強い者
今はこの男が
一番強い
弱い人は嫌《いや》
私は強い者とだけ
生きる

蘇摩《そうま》……
貴方《あなた》は強い……
私は強い人が好き
それでも……
帝釈天《たいしゃくてん》には決して勝てない
私は…己《おのれ》の誓《ちか》い……に
背《そむ》けない
けれど……!

貴方《あなた》がいない天界《てんかい》で
生きていても
しようがないもの……

乾闥婆王《けんだっぱおう》!!
……蘇摩《そうま》……

……好き……

我《わ》が君《きみ》!!

ど…か……
私の血を……
血を……飲んでくださ……い
蘇摩族《そうまぞく》は一生に一度……
たった一人だけを不死者《ふししゃ》にできるという……
どうか……我《わ》が君《きみ》……

あなただけ……は……
……なに……を……！
……乾闥婆王《けんだっぱおう》……!!

お…のれ……
帝《たい》…釈《しゃく》…
天《てん》……
…………
むごいことを…!!
乾闥婆王《けんだつばおう》は
生き残ることを
望んではいない

愛する者の
いない世界に
一人残るのは
辛《つら》く…苦しいことだ……
城から出ろ
増長天《ぞうちょうてん》

運命《さだめ》の輪《わ》は回る
しかし……
予言《よげん》が成就《じょうじゅ》することはない
星見《ほしみ》が読んだ星の道筋《みちすじ》……
生涯《しょうがい》でただ一度の『約束』を守るためなら
余《よ》は星の軌道《きどう》さえも変えてみせる

阿修羅《あしゅら》！

阿修羅《あしゅら》!!

阿修羅《あしゅら》!!
阿修羅《あしゅら》!!
阿修羅城《あしゅらじょう》は
新しい主《あるじ》を迎《むか》え入れてしまったようだ

黒い翼!?
夜叉一族《やしゃいちぞく》に伝わる古い伝承《でんしょう》
『黒き翼背に負《お》いし異形《いぎょう》の者』!?
孔雀《くじゃく》……まさかおまえが夜叉族《やしゃぞく》にこの夜摩刀《やまとう》を授《さず》けた者か!?
遠い未来夜叉一族《やしゃいちぞく》の王となる者が
阿修羅《あしゅら》の最後の御子《みこ》と出会うことはわかっていた
この身に流れる
星見《ほしみ》の血によって……

星見《ほしみ》の血…!?
何故《なぜ》 魔族《まぞく》の証《あかし》である紫の瞳を持つ者が
天界最高の予言者《よげんしゃ》・星見《ほしみ》の血を継《つ》いでいるのだ!?
それは……
その天界最高《てんかいさいこう》の予言者《よげんしゃ》が
『魔族《まぞく》にも劣《おと》る行《おこな》い』をしたから……
焦《こ》がしてはならぬ想いにその身を焼いたから……
!!
阿修羅《あしゅら》は
この下にある阿修羅城《あしゅらじょう》にいる
先代《せんだい》の阿修羅王《あしゅらおう》の記憶をすべて受《う》け継《つ》いで
『真《しん》の王《おう》』となるために

辛《つら》く
悲しい
阿修羅王《あしゅらおう》の
記憶のすべてを……

…誰かの『記憶』が流れ込んで来る…
九曜《くよう》…

九曜《くよう》……
は…はい
星宿《せいしゅく》とは……
変えることのできぬもの
……か?
…………
はい
いかなる者にも?
はい

星宿《せいしゅく》とは運命《さだめ》
星が『軌道《きどう》』をたがえることがないように
運命《さだめ》もその流れを変えることはないのです
私はただ星の軌道《きどう》を読み運命《さだめ》を読むだけ
星は天地の理《ことわり》が動かすのです運命《さだめ》も然《しか》リ……
九曜《くよう》は運命に逆《さか》らう者《もの》を愚《おろ》かだと思うか？
……阿《あ》修《しゅ》羅《ら》王《おう》……

我が子の運命も
変わらぬ……か
………
はい
……これは先代阿修羅王《あしゅらおう》
父上の記憶……
阿修羅王《あしゅらおう》へお答えした星見《ほしみ》……
その本当の意味をお教えしましょう
九曜《くよう》が夜叉王《やしゃおう》へ答えた星見《ほしみ》……
その本当の意味を教えよう
『六星《ろくせい》流れ落つる 其《そ》は天《てん》に背《そむ》く 闇星《やみぼし》なり』

修羅《しゅら》とは非天《ひてん》 天にあっては天を滅《ほろ》ぼし 地にあっては地を滅ぼす
御子様《みこさま》は天《てん》に背《そむ》く 闇星《やみぼし》『六星《ろくせい》』として お産まれになる運命
そして…… 天にあっては天を 地にあっては地を すべてを滅ぼす 破壊の神と なられます
『六星《ろくせい》』の宿業《しゅくごう》を持つ者が 阿修羅《あしゅら》のまわりに集《つど》う 運命にあること
夜叉王《やしゃおう》は阿修羅《あしゅら》と出会い
紡《つむ》がれし運命《さだめ》のさきがけに 汝《なんじ》みずから育《はぐく》むべし
絶《た》えたる血族《けつぞく》の指《さ》し示《しめ》すままに 汝《なんじ》赤児《あかご》と共《とも》に発《た》ち行《い》かん
夜叉一族《やしゃいちぞく》は滅び
二人は共に『六星《ろくせい》』探索《たんさく》の旅に出る

非天《ひてん》の炎《ほのお》を裂《さ》いて世を巡《めぐ》る 新《あら》たなる天主《てんしゅ》の雷《いかづち》
近い未来 帝釈天《たいしゃくてん》は謀反《むほん》を起こし 新たな天帝《てんてい》として立ちます
……阿修羅王《あしゅらおう》の死 現天帝《てんてい》の崩御《ほうぎょ》
炎《ほのお》燃え落つる時 世は邪悪《じゃあく》の揺籃《ようらん》となる
しかし 帝釈天《たいしゃくてん》の治《おさ》める 新たな天界《てんかい》は 乱《みだ》れ揺《ゆ》れ続けるでしょう
善悪定《ぜんあくさだ》まらずともその赤児《あかご》 天界《てんかい》の運命の輪を回す
『阿修羅《あしゅら》』に二つの人格が あることも予言されている
『善悪定まらず』…… おまえを慕《した》う可愛《かわい》い阿修羅《あしゅら》と 破壊《はかい》と殺戮《さつりく》を楽しむ 阿修羅《あしゅら》が
封印《ふういん》が完全に解《と》かれる日まで 混在《こんざい》すること

時の輪が巡《めぐ》り 六星《ろくせい》集《つど》う
いずれ『六星《ろくせい》』は集《つど》い 『六星《ろくせい》』すべての星が落ちた時
阿修羅《あしゅら》の御子《みこ》は 完全に目覚《めざ》め 本来の『破壊神《はかいしん》・阿修羅《あしゅら》』となり
汝《なんじ》が修羅《しゅら》を継《つ》ぐ紅蓮《ぐれん》の炎《ほのお》 すべての邪悪を焼きつくし 総《そう》じて六星《ろくせい》 あらゆる他《た》を圧《あっ》し 制《せい》するはあたわず
されど闇《やみ》の御許《みもと》 舞い降りたる者あり 掌中《しょうちゅう》に星《ほし》の軌道《きどう》を治め 闇星《あんせい》 天星《てんせい》共に操る その者 我が『星宿《せいしゅく》』にも見定めるはかなわず
私のことも 語られている
九曜《くよう》が私の『星宿《せいしゅく》』を 読めずに逝《い》ったのは 私が星見《ほしみ》の血を持つ 者だから 星見《ほしみ》は星見《ほしみ》を占《うらな》うことは できない
汝《なんじ》が育《はぐく》みし紅蓮《ぐれん》の炎 すべての邪悪を焼きつくし 総じて六星《ろくせい》あらゆる他《た》を圧《あっ》し 制《せい》するはあたわず

すべての邪悪を焼きつくされます
『御子《みこ》にとっての邪悪なものすべて』を……
そして六星《ろくせい》
『六星《ろくせい》』が集《つど》い その全員が死んだ時
本来の『破壊神《はかいしん》・阿修羅《あしゅら》』が 復活《ふっかつ》しすべての邪悪を 焼きつくす
『阿修羅《あしゅら》にとっての邪悪なものすべて』を……
そして汝《なんじ》ら
天を滅《ほろ》ぼす『破《は》』とならん

それでも……
……それでも私は……
九曜《くよう》
ハッ
未来の夜叉《やしゃ》一族《いちぞく》の王…この少年が我が子を目覚《めざ》めさせる者……
阿修羅王《あしゅらおう》
こちらは私の小さな友人未来《みらい》の武神将《ぶしんしょう》ですわ

『北の夜叉王《やしゃおう》』……か
悲劇の幕を開けるもの
そなた この世で唯一《ゆいいつ》の大切なものが
禍《わざわい》をもたらすものであったなら どうする?
守ります
では 大切なもののために強くなれ
手を差しのべて命の限り守ります
いつか出逢《であ》うべき宿星《しゅくせい》を守れるように
『夜叉王《やしゃおう》』

帝釈天《たいしゃくてん》……
お帰りか
阿《あ》修《しゅ》羅《ら》王《おう》
供《とも》の者も
お連《つ》れにならずに
出《で》歩《ある》かれるとは……
どこに
不逞《ふてい》の輩《やから》が
潜《ひそ》んでいるやも
知れませんぞ
帝釈天《たいしゃくてん》……
そなた……
宿命《さだめ》とは
変えられぬものだと
思うか？
私は
欲《ほ》しいもののためなら
星の位置《いち》さえも
変えてみせる

ならば
星の軌道《きどう》を変えるため
力を貸《か》してくれぬか
……貴方《あなた》だ
力を貸《か》せば
私の望みのものを
くれますか？
望みは
何か？
……それで
運命《さだめ》を
変えることが
できるの
なら

次の阿修羅王《あしゅらおう》が三界《さんかい》を破滅《はめつ》させる……か……
星見《ほしみ》・九曜《くよう》の予言は違《たが》えぬもの……
私は罪を犯《おか》そうとしている……
天《てん》の摂理《せつり》に背《そむ》き運命《さだめ》を変えようとしている罪
もし運命を変えることができなければ
この世を地獄《じごく》としてしまうかもしれない罪
そして
それでも……阿修羅《あしゅら》の次の王を
我が子の誕生《たんじょう》を望んでしまう罪
それが貴方《あなた》の望みなら約束しよう

たとえ何万の血が流れようと
誰が地獄へ落ちようと貴方《あなた》との約束だけは違《たが》えない
誕生する阿修羅《あしゅら》の御子《みこ》を
破壊神《はかいしん》として復活《ふっかつ》はさせない
今日 夜叉王《やしゃおう》に会った
綺麗《きれい》な目をした
少年だった
御子《みこ》を目覚《めざ》めさせる運命《さだめ》の者か
では私は天帝《てんてい》となろう
貴方《あなた》のために
この天界《てんかい》すべてを掌握《しょうあく》し御子《みこ》と共に集《つど》うという『六星《ろくせい》』を監視《かんし》するために予言の成就《じょうじゅ》を阻《はば》むために

善見城《ぜんみじょう》の軍勢はすべて落ちた……後は貴方《あなた》と天帝《てんてい》だけ
……そうか……ならば最後の『願い』だ雷神《らいじん》・帝釈天《たいしゃくてん》

強い…!!
これが阿修羅王《あしゅらおう》も恐れていた
真の『阿修羅《あしゅら》』の力か？

私を殺し……
この身を喰《く》らえ

もし……
星が軌道《きどう》を
違《たが》えなければ……
我が子が破壊の神と
なる前に……
殺してやって
欲しい……
そのためには
『力』が必要だ

ジュウウウウ…

私のすべてを……
そなたのものに……

ビチャ
ヤリ
コリ
ゴリ
ビチャ

星見《ほしみ》は星見を占えない!?
我が父は先の天帝
母はその姉先々代の星見《ほしみ》・尊星王《そんせいおう》
私は実の姉弟の禁忌《きんき》の交《まじ》わりによりこの世に産み落とされた
私の出生《しゅっせい》を厭《いと》う父に母子《ぼし》共に幽閉《ゆうへい》され母は狂気の内に死に……
父は天地開闢《てんちかいびゃく》以来最《もっと》も優《すぐ》れた天帝《てんてい》として人々に慕《した》われつつ死んだ
だが隠《かく》しようのない罪がここにある
この身に星見《ほしみ》の血が流れている確かな証《あかし》
この天眼《てんがん》が『魔族にも劣《おと》る行《おこな》いの報《むく》い』だ

ではおまえが先帝《せんてい》の『呪《のろ》われた御子《みこ》』か
帝釈天《たいしゃくてん》!!
先帝の罪を知っている者は
先帝自身と逝《い》った尊星王《そんせいおう》と私と……
そしてその幻力《マーヤー》で事実を知った
守護闘神《しゅごとうしん》阿修羅王《あしゅらおう》だけ
阿修羅王《あしゅらおう》を喰《く》ったな

阿修羅王《あしゅらおう》の
身を喰《く》らって
王の力と幻力《マーヤー》を
手に入れたな
阿修羅王《あしゅらおう》は
言った……
生まれいでる
子供は
三界《さんかい》を滅《ほろ》ぼす
破壊《はかい》の御子《みこ》
しかし
それでも
星の軌道を変え
別の未来を
探すべく
我が子に
生命《いのち》を
与えてやりたい
と……
『決まった明日』など
ないと……
信じてみたい
と……
神女《みこ》・舎脂《しゃし》を
妻にしたのも…
その額《ひたい》に修羅刀《しゅらとう》の
封印を秘めし神女《みこ》
のうちの一人が
実の母であれば
きっと殺しは
すまいと
考えての事

額《ひたい》の封印《ふういん》は神女《みこ》を殺さなければ奪えないからな
だから雷神《らいじん》帝釈天《たいしゃくてん》は舎脂《しゃし》を娶《めと》った手元《てもと》において監視するために
そんな…!!
阿修羅《あしゅら》が三界《さんかい》を破壊《はかい》する御子《みこ》……?
では『六星《ろくせい》』は破壊神《はかいしん》阿修羅王《あしゅらおう》復活《ふっかつ》の
鍵《かぎ》にすぎないと言うのか!?

そう『阿修羅《あしゅら》』の目覚《めざ》めをさまたげる幾《いく》つもの封印《ふういん》
三百年間阿修羅《あしゅら》の眠りを守った『幻力《マーヤー》の森』の封印《ふういん》
二人の神女《みこ》が守る修羅刀《しゅらとう》の二つの封印
だから帝釈天《たいしゃくてん》は天帝《てんてい》となり恐怖政治をしいた
そして『六星《ろくせい》』の出会いによって阿修羅《あしゅら》の中の破壊神は目覚《めざ》め
死によって真の復活をとげる
『六星《ろくせい》』が出会わないように力で押さえ込もうとした……だがすべて無駄《むだ》だった
『六星』は星見《ほしみ》の予言どおり出会ってしまった

破壊神《はかいしん》の復活を望んでいないのなら
何故《なぜ》 迦楼羅王《かるらおう》を殺した!!
迦楼羅王《かるらおう》はかなわぬまでもその心のままに余《よ》と戦うことを望んでいた
もし余《よ》が殺さねば
満たされぬ引《ひ》き裂《さ》かれた魂《たましい》のまま冥府《めいふ》で惑《まど》い愛《いと》しい迦陵頻伽《かりょうびんが》にも会えまい
愛《いと》しい者のいない世界で一人彷徨《さまよ》うほど……つらいことはない

そして『六星《ろくせい》』のうち五つの星は落ちた
最後の一人である夜叉王《やしゃおう》が命を落とす時破壊神《はかいしん》は完全に復活する
星見《ほしみ》の予言のとおりに……
阿修羅《あしゅら》と私は生きている!!
阿修羅《あしゅら》は
死んだ
オマエノ阿修羅《あしゅら》ハモウイナイ
私ノココデ死ンダ

シンダ――
おまえが育てた 可愛《かわい》い阿修羅《あしゅら》は もういない
残った『六星《ろくせい》』は おまえだけだ
夜叉王《やしゃおう》
阿修羅城《あしゅらじょう》が 復活する

私は約束した
阿修羅王《あしゅらおう》と……
その身を永遠に我《わ》が物《もの》とする代価《だいか》として……
『六星《ろくせい》』を決して集結《しゅうけつ》させはしないと……
それでももし
『六星《ろくせい》』が集《つど》ってしまったら
その時は
阿修羅《あしゅら》の御子《みこ》を殺すと!!

そんな……
それでは私は……
世界を滅《ほろ》ぼす者を目覚《めざ》めさせ
そして育《はぐ》んで来たのか!?

阿修羅《あしゅら》!!
阿修羅族《あしゅらぞく》は
天界最強《てんかいさいきょう》の闘神《とうしん》
血と炎と殺戮《さつりく》の神
すべてを破壊しつくすために
この世に生まれ落ちた者

帝釈天《たいしゃくてん》!?
破壊神《はかいしん》は殺す!
それが約束だ!!
やめろ!!

やはり運命は変えられないのか…!
『阿修羅《あしゅら》』は既《すで》に死んだ『六星《ろくせい》』の力を取り込んでいる
最後の『六星《ろくせい》』夜叉王《やしゃおう》を殺しその力を手に入れたら
六星《ろくせい》すべての力が阿修羅《あしゅら》の中で集《つど》い真《しん》の『破壊神《はかいしん》』となるだろう

『汝ら天を滅《ほろ》ぼす破《は》とならん』
星見《ほしみ》の予言が複数形になっていたのはそのためだ
夜叉王《やしゃおう》!!
六星《ろくせい》すべての力を手にした破壊神《はかいしん》阿修羅《あしゅら》には帝釈天《たいしゃくてん》でさえも勝てないかもしれない
やはり誰も定《さだ》められた未来から逃《のが》れることはできないのか!?

その赤子《あかご》
貴方《あなた》を殺す運命のもとに生まれし者……
我が望みは一切《いっさい》の破壊《はかい》！
この天界《てんかい》を血と炎《ほのお》で赤く染《そ》め上げることだ!!
もう廻《まわ》り続ける運命の輪を断《た》ち切る術《すべ》はないのか!?
夜叉《やしゃ》を信じるよ
夜叉《やしゃ》が必要だって言ってくれるなら
夜叉《やしゃ》のために生きる

阿修羅《あしゅら》は夜叉《やしゃ》のためだけに生きるよ

阿修羅《あしゅら》!!
……夜叉《やしゃ》……

や……しゃ……
阿修羅《あしゅら》!!

オオオオ

ゴオォ

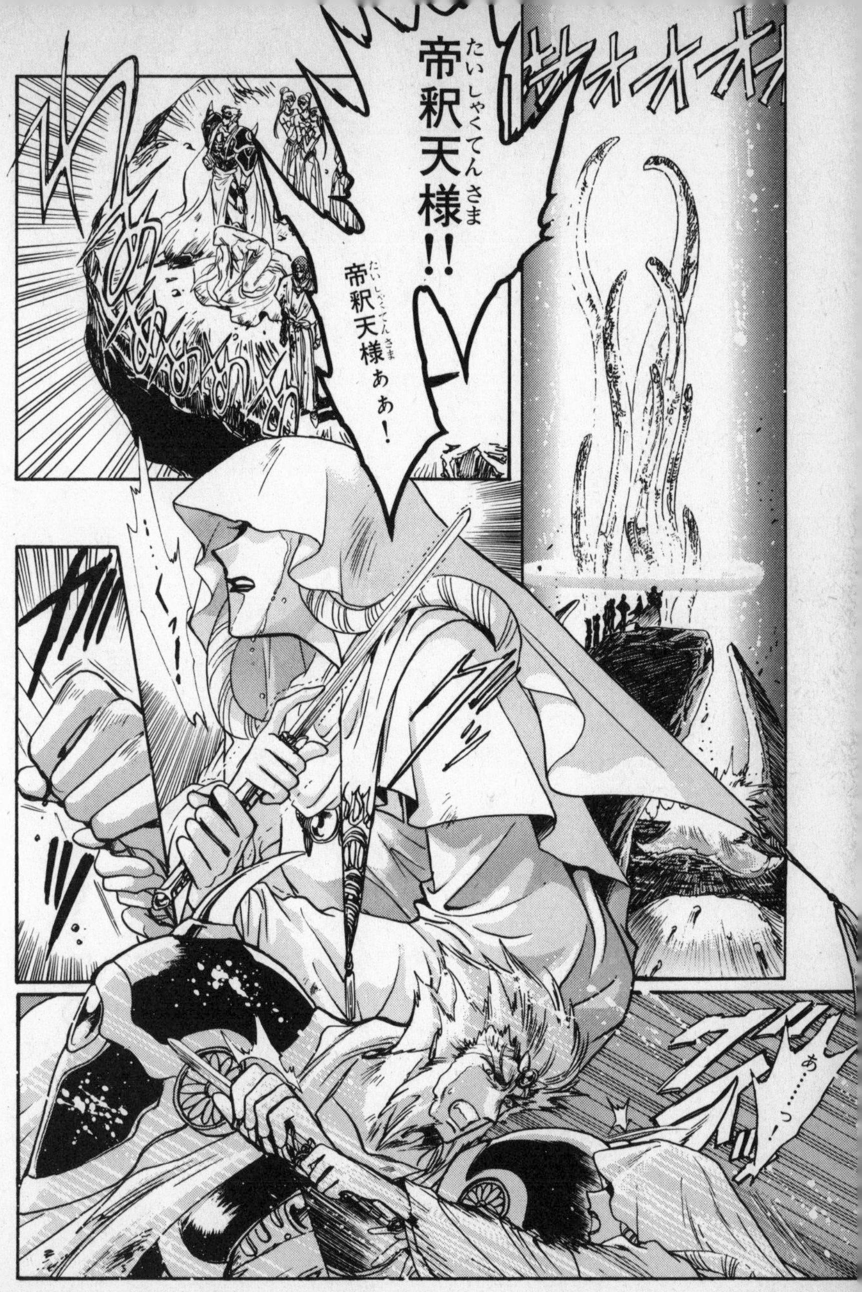
帝釈天《たいしゃくてん》様《さま》!!
帝釈天《たいしゃくてん》様《さま》ぁぁ!
……くっ!
あ……っ!

私は帝釈天様《たいしゃくてんさま》のためだけに生きてきました!!
あの方《かた》がいらしたからこそ私は……
私は…!!
お願い!!
お願い…!!死なせて!!
もう俺の目の前で人が死ぬのはたくさんだ!!

兄上…!
恵《めぐ》まれた生《せい》をただ安穏《あんのん》と過《す》ごしてきたおまえに
私の何がわかる
兄上──!!!

ドクン
ドクン
阿修羅《あしゅら》……
私が生まれてこなければ
母さまは幸せだった
私たちは同じ運命の元《もと》に
産《う》まれた子供だ
出して…
お願い!!
出して……
……
……
母さま……!
……

貴方《あなた》さえ生まれてこなければ……
こんなことにはならなかった……の……に……
母さま？
ホホホホ
母さま‼しっかりして‼
母さま！
私も阿修羅《あしゅら》も生まれてきてはいけなかった子供
阿修羅《あしゅら》なんかいらない子なんだから
死んじゃったって構《かま》わないんだ
産まれてきちゃいけなかったの⁉
いらない子なの⁉
存在《そんざい》すること自体《じたい》が罪な子供

母さま病気みたいなんだ！
全然動かないの！
母さまだけでも出してあげて!!
呪《のろ》われた御子《みこ》よ
この天眼《てんがん》が我が罪《つみ》の証《あかし》か
いらない子なら死ぬから!!
母さまを助けて！
父様《とうさま》!!

母さまを助けたい
ここから出してあげたい
夜叉《やしゃ》が傷つくなら
生きてないほうがいい！
存在することが
母さまを傷つけるなら
死んだほうがいい……
…だから
阿修羅《あしゅら》を
殺して！
殺して！
だから
母さまだけは……
ここから
出してあげる……
……から

一緒に
死にましょう
いらないのよ
私も
貴方《あなた》も
産《う》まれて来ては
いけなかったの…
……!!

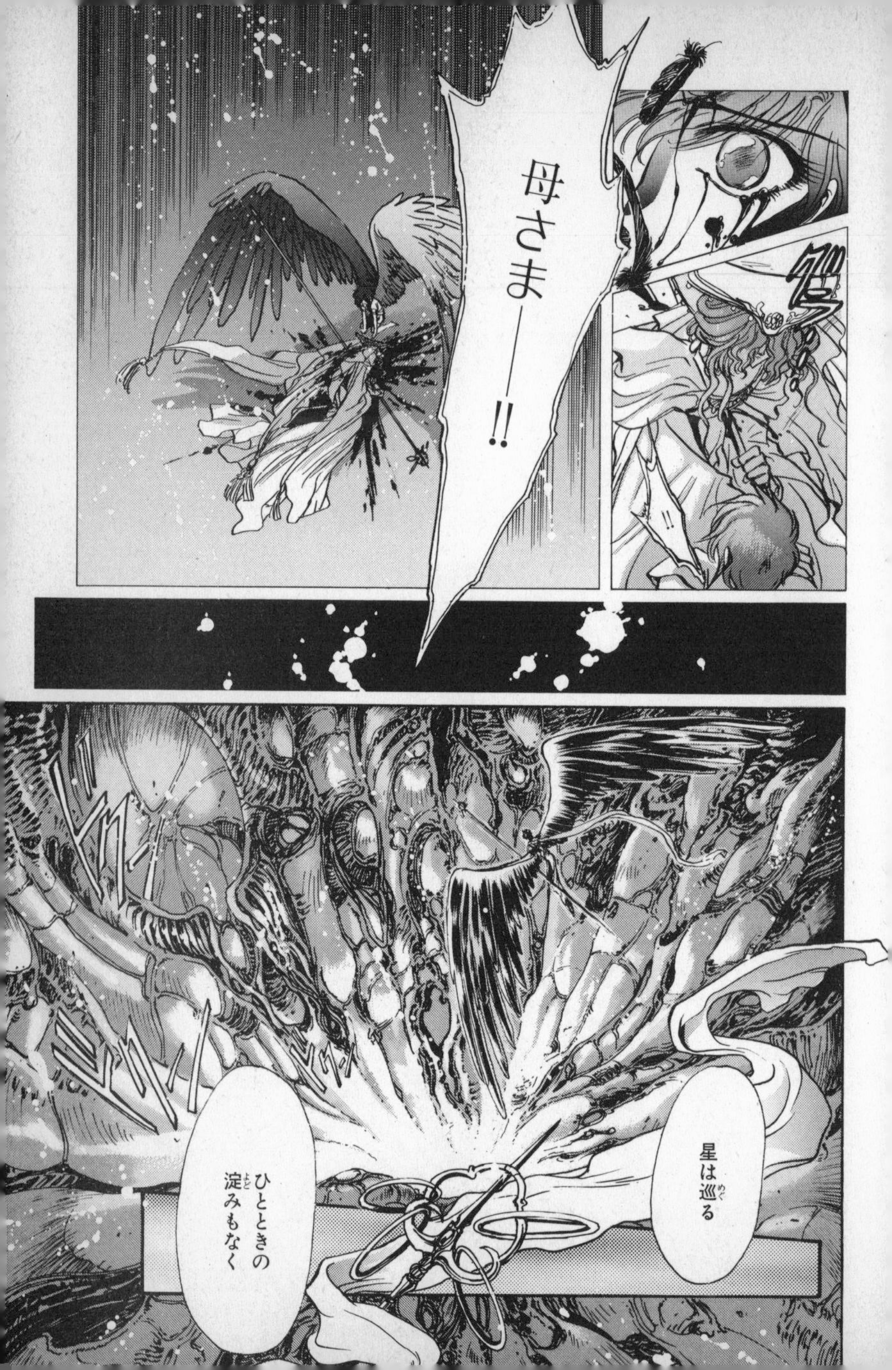
母さま――!!
!!
星は巡《めぐ》る
ひとときの淀《よど》みもなく

阿修羅王《あしゅらおう》が星見《ほしみ》の予言《よげん》を聞いて
その道筋を変えようと帝釈天《たいしゃくてん》と交《か》わした『約束』も
結局は星の軌道《きどう》の内《うち》
六星《ろくせい》を集《つど》わせまいと帝釈天《たいしゃくてん》がしいた恐怖政治は
それに反して六星《ろくせい》の集結をうながした……それも星の行く道のまま
…そして予言《よげん》どおり最後の戦いが始まった
『阿修羅《あしゅら》』復活のための戦いが……

しかし最後の最後で星はその道を変えた
夜叉王《やしゃおう》と阿修羅《あしゅら》の絆《きずな》によって

生《せい》あるものはすべて運命に縛《しば》られている
誰もそこから逃《のが》れることはできない
だからこそ見てみたかった
人の心が絆《きずな》が
星の軌道《きどう》を変える様《さま》を
この目で

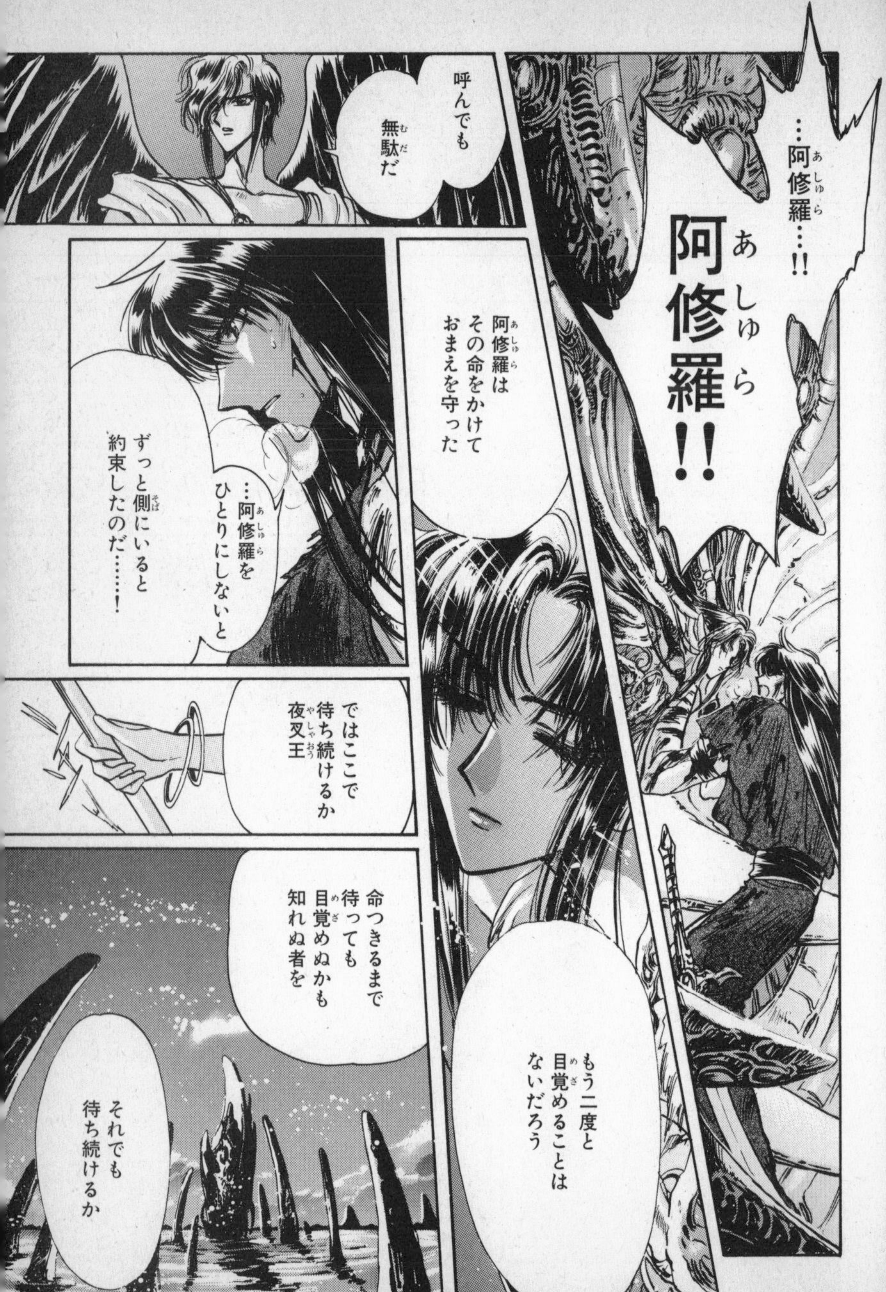
…阿修羅《あしゅら》…!!
阿修羅《あしゅら》!!
呼んでも無駄《むだ》だ
阿修羅《あしゅら》はその命をかけておまえを守った
…阿修羅《あしゅら》をひとりにしないと
ずっと側《そば》にいると約束したのだ……!
もう二度と目覚《めざ》めることはないだろう
ではここで待ち続けるか夜叉王《やしゃおう》
命つきるまで待っても目覚《めざ》めぬかも知れぬ者を
それでも待ち続けるか

…ああ
たとえ目覚めても
阿修羅《あしゅら》には血族を残す能力《ちから》はない
星に逆《さか》らい天地に背《そむ》き阿修羅王《あしゅらおう》は我が子の運命を変えようとした
罪を犯《おか》した者には報《むく》いがある
一族の血の存続《そんぞく》をあれほど望んでいた王のたった一人の御子《みこ》は性別をそなえず生まれてきた
二人だけで生き続けるなら阿修羅族《あしゅらぞく》も夜叉族《やしゃぞく》も
おまえたちの代《だい》でついえることになる
それでも…

それでも
それが…
私と阿修羅の…
『約束』だ

……もう
あそこで何があったか
覚えている者も
いない
オォオオ
人は既《すで》に子に
その血筋を残すのみ…か
でも
私たちは
忘れません
辛《つら》い運命の元《もと》に
生きた人たちのことを

廻《まわ》り続ける
運命の輪
決《けっ》して
忘れません
巡《めぐ》り続ける　星の軌道《きどう》
逃《のが》れ切れず　散《ち》った者

抗《あらが》い続けた者
見守り続けた者
そして
己《おの》が手で断《た》ち切《き》った者

……以前貴方《あなた》は
「昔 交《か》わした
『約束』のために
生きている」
と言って
いた
その『約束』は
果たされたのか？
……あそこにも
『約束』を
守り続けている
男がいる

…まだ 夜叉王《やしゃおう》は待っているのか…
お父さん頑固《がんこ》だから
…本当は
あの時
阿修羅《あしゅら》に殺されたかったんじゃないのか？

愛する者がいない世界で
一人 生きるのは辛《つら》すぎるから…
おまえはどうなのだ この結末《けつまつ》に満足か？
…私は…
運命《うんめい》の軌道《きどう》が道を外《はず》す様《さま》を見せてもらった
それに…阿修羅《あしゅら》が
「いらない子なんていない」って証明してくれた
それで充分《じゅうぶん》だ

ヒォォオオ
サクサクサク

…夜叉王《やしゃおう》…
…帝釈天《たいしゃくてん》が死んだ…

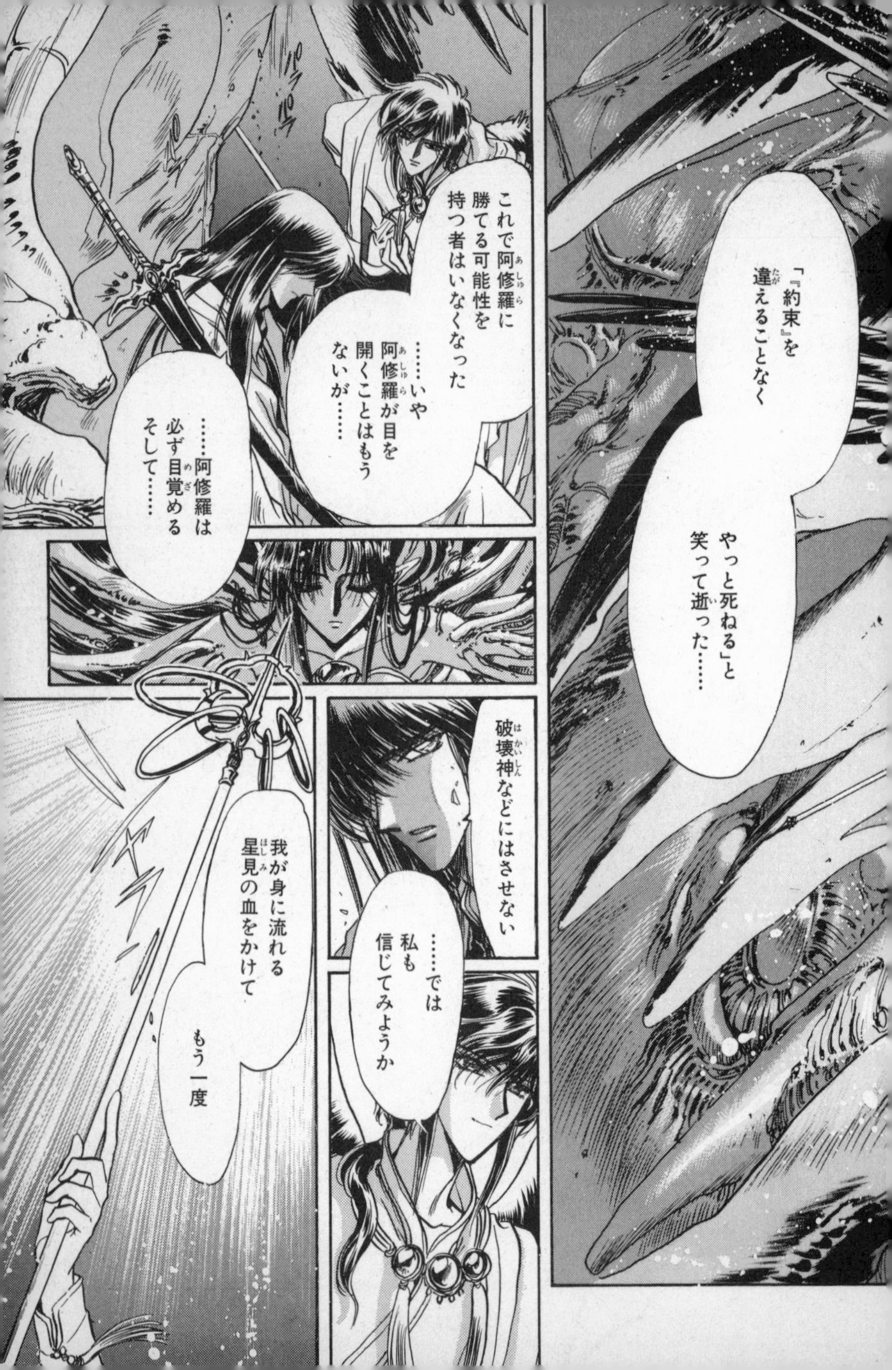
「『約束』を違《たが》えることなく
やっと死ねる」と笑って逝《い》った……
これで阿修羅《あしゅら》に勝てる可能性を持つ者はいなくなった
……いや阿修羅《あしゅら》が目を開くことはもうないが……
……阿修羅は必ず目覚《めざ》めるそして……
破壊神《はかいしん》などにはさせない
……では私も信じてみようか
我が身に流れる星見《ほしみ》の血をかけて
もう一度

『奇《き》跡《せき》』を…
孔《く》雀《じゃく》!?

開け 天宮《てんきゅう》の門
我が血の
あがないによって
我が声を聞き
届けよ
『目覚《めざ》めよ』
『阿修羅《あしゅら》』

孔雀《くじゃく》――!!

……おはよう……
……阿修羅《あしゅら》……

……孔雀《くじゃく》……

阿修羅《あしゅら》……

孔雀《くじゃく》……！
……みんな……死んでしまった……！
阿修羅《あしゅら》のために……!!

……それでも
おまえは生きていてくれた……

私との『約束』のために
私にはおまえが必要だ

おまえが
いてくれるからこそ
私も生きてゆける
ずっと
一緒にいよう
この生命《いのち》が
果《は》てるまで

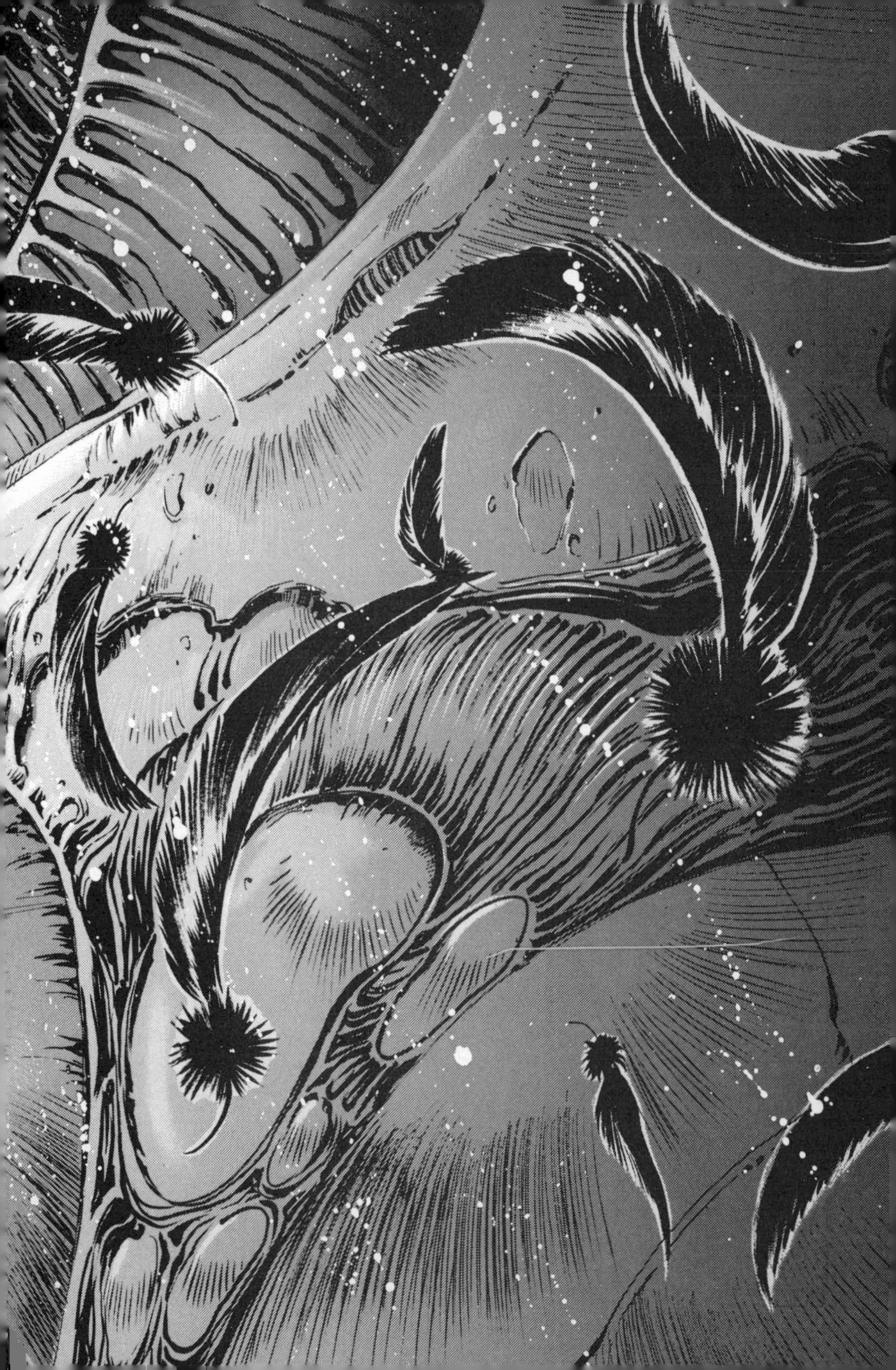

二人だけの
『約束』だ

RG VEDA
完